D0048959

DU MÊME AUTEUR

Aux Éditions Gallimard

LA CORRUPTION DU SIÈCLE, 1988. Prix Colette 1989.

L'INFORTUNE, 1990. Grand Prix du roman de l'Académie française («Folio», n° 2429).

L'AILE DE NOS CHIMÈRES, 1993.

LES ALEXANDRINS, 2003. Prix Méditerranée.

LA CHANSON DE PASSAVANT, 2005.

L'OBÉISSANCE, 2007. Prix du roman historique («Folio», n° 4805).

INIGO, 2010. Prix des écrivains croyants.

SANS BRUIT SANS TRACE, 2011.

Chez d'autres éditeurs

LES HOMMES N'EN SAURONT RIEN, 1995, Grasset poche.

LE SPHINX DE DARWIN, 1997, Fayard.

LAMBERT PACHA, 1998, Grasset poche.

LE CHEMIN DES MORTS

FRANÇOIS SUREAU

LE CHEMIN DES MORTS

récit

GALLIMARD

Il a été tiré de l'édition originale de cet ouvrage
vingt-cinq exemplaires sur vélin pur fil
des papeteries Malmenayde numérotés de 1 *à* 25.

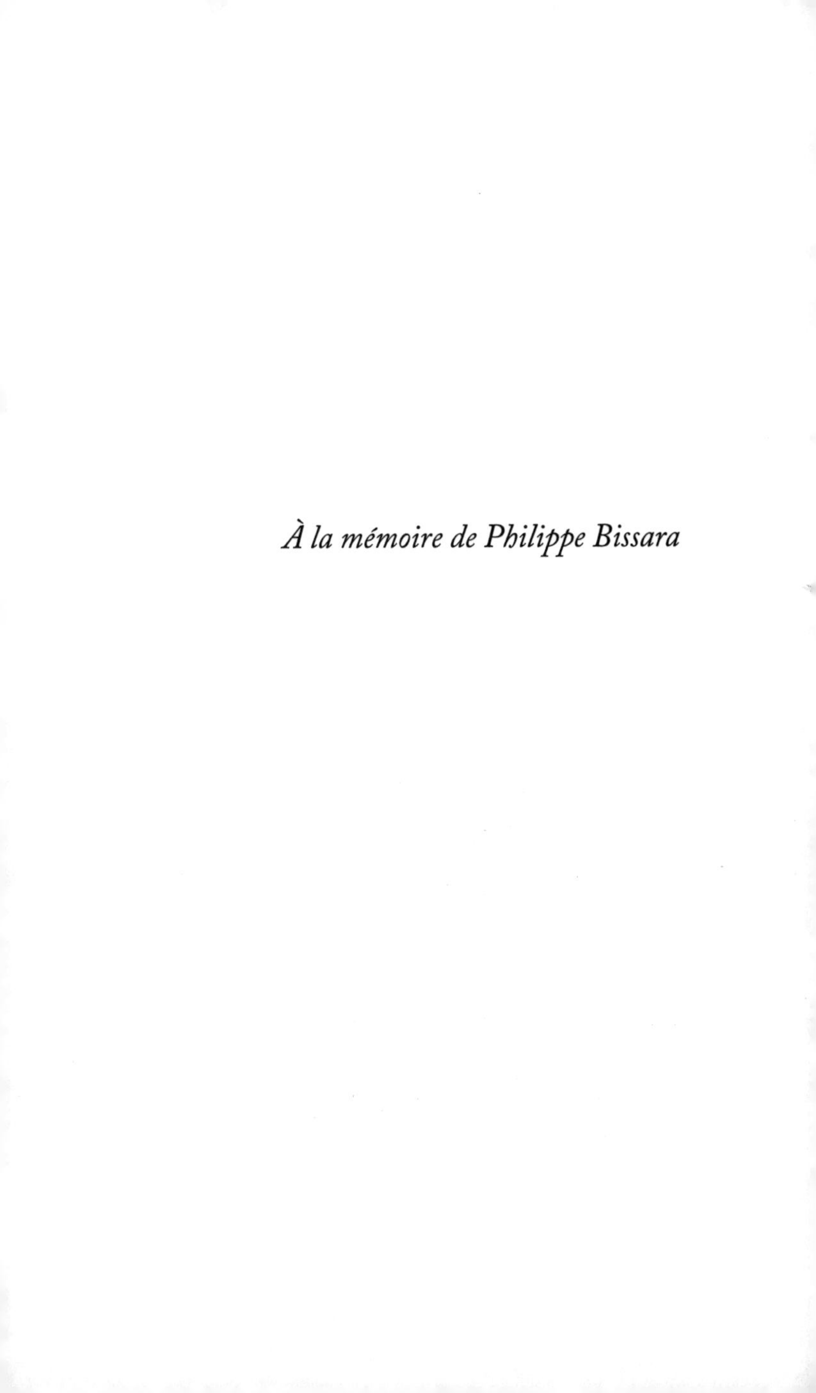

À la mémoire de Philippe Bissara

Les années quatre-vingt sont loin et me font penser à l'avant-guerre, mais à une avant-guerre que nulle guerre n'aurait conclue, et qui aurait simplement changé de cours. Quant à ceux qui l'ont vécue, faute de batailles et d'aventures ils ressemblent à présent à des égarés.

En 1983, je venais d'entrer au conseil d'État en qualité d'auditeur de deuxième classe. Je n'avais pas vingt-cinq ans et j'étais émerveillé de siéger au milieu de ces juristes dont les travaux avaient ébloui ma jeunesse. J'étais parvenu au ciel empyrée des présidents Laroque et Bouffandeau, inventeur de la Sécurité sociale pour le premier et réformateur du contentieux administratif pour le second. J'allais devenir l'un des personnages de ce recueil Lebon qui avait été ma bible, et qui en est une en effet, où le monde et ses traverses se laissent ordonner par les catégories du droit. Je savais par cœur des passages entiers de l'arrêt *Dames Dol et Laurent*, dans lequel deux filles perdues du port de Brest accouchent involontairement de la théorie des *circonstances exceptionnelles*. Je pouvais réciter les conclusions de Léon Blum sur l'arrêt *Lemonnier*. J'avais trois fois vainqueur pris le *Bac d'Eloka*. Bientôt j'aurai, moi aussi, mon nom dans ces tables, sous la forme brève qui évoque les citations militaires : X, rapp. (pour « rapporteur ») ; Y, c. du g. (pour « commissaire du gouvernement »). Au-dessus, les mots « section » ou « assemblée » montreraient clairement l'importance des questions que j'aurais été appelé à juger.

À la buvette du Palais-Royal, dans l'aile qui jouxte la Comédie-Française, je me tenais silencieux devant mon café, en compagnie de ceux de ma génération. Nos aînés étaient aimables, d'une grande politesse. Nous nous montrions de loin celui qui avait été exclu en 1940, parce qu'il était juif, en conversation avec le dernier chef de cabinet du maréchal Pétain, l'ancien pilote de la RAF, l'inspirateur secret des ministres communistes, l'enragé de l'Algérie française. Le passé s'ouvrait devant nous comme une trappe.

J'habitais un petit appartement dont les fenêtres donnaient sur la place de l'Hôtel-de-Ville. J'ai vu construire les grands bassins ukrainiens qui la défigurent. Je vivais en partie double : le droit, son sérieux, ses mystères, et puis la nuit, sa vie accélérée et joyeuse. Je ne craignais rien. J'écoutais ces radios libres qu'un gouvernement bien pourvu en vieux staliniens venait d'autoriser. Je préparais mes premiers rapports en compagnie de Percy Sledge et de la musique tintinnabulante et mexicaine qui accompagnait, à la télévision, la publicité pour les cafés Jacques Vabre et qu'il m'arrive encore de fredonner.

Les années quatre-vingt étaient entre deux mondes, et moi aussi. On y restait à gauche, du moins parmi mes amis, mais l'on portait en même temps ces ridicules vestes autrichiennes sans col qui semblaient venir d'un débarras de Berchtesgaden et donnaient aux militants en vacances un air heideggérien.

Dans la vie comme au conseil d'État, les vieux ténors n'avaient pas disparu, anciennes gloires toutes proches de la figuration qui ne se décident pas à quitter la scène : les intellectuels communistes, les engagés de tout poil, les préfets dictateurs issus du gaullisme, les anciens de Bir Hakeim, les amis de Brejnev, Marchais face à Messmer. Mais plusieurs ministres étaient à peine plus vieux que moi, un grand vent venait de l'Atlantique, apportant les sacs de papier brun pour les provisions, la cocaïne, l'indifférence à la misère, le goût d'aller vite et de gagner beaucoup d'argent. Le manège français tournait depuis cinquante ans, avec ses chevaux de bois fatigués, aux têtes de résistants, de collaborateurs, de flics et de trotskystes : on pouvait désormais en descendre et partir à l'aventure.

Je m'aperçus assez vite qu'il me serait difficile de la trouver au Palais-Royal. Après six mois, j'avais déchanté. J'avais été nommé rapporteur dans une sous-section de création récente, présidée par un ancien administrateur des colonies et qui avait hérité des dossiers dont personne ne voulait. En fait de grandes affaires de libertés publiques, j'y traitais de remembrement rural et du contentieux de l'indemnisation, trente ans après, des rapatriés d'Algérie. Lorsque le secrétaire général me proposa une affectation à la commission des recours des réfugiés, j'acceptai d'enthousiasme, sans trop savoir ce qui m'attendait.

Il y avait curieusement peu de volontaires pour cette fonction que les meilleurs — dont il était déjà visible que je n'étais pas — jugeaient décourageante, et peu propice aux beaux raisonnements. Lorsqu'un demandeur d'asile arrive en France, il demande le statut de réfugié à l'office français de protection des réfugiés et apatrides, et, si celui-ci le refuse, il peut se pourvoir devant la commission des recours. Dirigé en général par un ambassadeur au rancart, l'office était une administration des plus médiocres, où les demandeurs étaient à peine reçus, et où les décisions étaient prises comme en jetant les dossiers le long des marches d'un escalier. La commission, elle, faisait sérieusement son travail. Une manie nationale a changé son nom en cour nationale du droit d'asile, mais dans son principe elle est restée la même. C'est une juridiction, divisée en sections. Chaque section comporte trois juges, dont l'un est désigné par le haut-commissaire des Nations unies pour les réfugiés. Le rapporteur prépare les dossiers, et, en séance publique, donne son appréciation avant que la parole ne soit donnée aux demandeurs.

À l'époque, c'était très artisanal. Il y avait deux ou trois mille demandes par an, quand aujourd'hui il y en a plus de trente mille. La commission comportait trois sections, contre plus de cent aujourd'hui. Les juges et les rapporteurs étaient bénévoles et venaient en général des juridictions administratives, et non comme aujourd'hui des corps judiciaires, pour les membres desquels tout individu basané est, par expérience, un voleur de poules. Le rapporteur participait au délibéré. Les deux personnages principaux étaient le président de la section et le rapporteur, qui travaillaient ensemble, se mettaient d'accord sur la décision à prendre, rédigeaient ensemble.

Mon président de section s'appelait Georges Dreyfus. Il était en même temps président de la commission. Celle-ci se réunissait rue de la Verrerie, à deux pas de là où j'habitais, dans un ensemble de vieux appartements du Marais à peine transformés, raboutés, incommodes. Les réfugiés attendaient leur tour sur des canapés défoncés. La plupart n'avaient pas d'avocats et se défendaient seuls. Il n'y avait pas d'agents de police, pas de gardes de sécurité.

Georges Dreyfus me paraissait vieux. Il devait avoir à peu près le même âge que moi aujourd'hui. Très mince, avec d'épais cheveux gris, il se tenait droit, impeccablement pris dans le costume, gris en hiver, beige en été, du haut fonctionnaire français, le canapé de commandeur de la Légion d'honneur à la boutonnière. Il était rentré assez tard au conseil d'État, après avoir fait carrière dans l'administration coloniale. Il avait été, je crois, chef de cercle au Cameroun, puis, à la fin, le dernier gouverneur de l'Afrique-Équatoriale française. Ça lui conférait une manière de prestige. Il n'en abusait pas. Il ne prétendait pas. Toujours simple, net, direct; d'une intelligence vive, et souvent compatissante. Au contraire de beaucoup de ses pairs, il laissait parler longuement les réfugiés en séance, ne manifestait jamais d'impatience, les interrogeait avec humanité, paraissant prêt à changer d'avis jusqu'au dernier moment. Ces malheureux ne quittent pas le pays où ils ont été persécutés avec un certificat de torture en poche signé du chef de la police. Ils ne présentent presque jamais de preuves. C'est leur récit qui compte. Il y faut beaucoup de discernement. Certains ne disent pas la vérité qui leur vaudrait le statut, et préfèrent raconter les fables dont un ami les a persuadés qu'elles emporteraient la conviction. D'autres font mauvaise impression en plaidant d'une voix de stentor ou en essayant d'émouvoir, alors qu'un récit plus simple, plus fidèle, déciderait leurs juges.

Georges Dreyfus se trompait rarement.

Lui-même avait été déchu de la nationalité française en 1940 parce que, se trouvant à Londres pour ses études, il s'était immédiatement engagé dans les Forces françaises libres. Il avait suivi Leclerc, de Koufra à Strasbourg et Berchtesgaden. Rien de ce que pouvaient dire en séance, parfois très maladroitement, ceux qui avaient fait un choix décisif et, à cause de cela, entendu siffler des balles, ne lui était étranger. J'avais une grande admiration pour lui. Je crois qu'il m'appréciait, bien qu'il ne fût pas le moins du monde paternel. Assez vite, nous n'avons plus eu besoin de nous parler pour nous comprendre.

Ce travail m'emporta tout de suite. Le contentieux du remembrement rural ou celui de l'indemnisation des rapatriés n'avaient pu tuer la passion qui m'avait animé pendant mes études : j'aimais le droit, et il y avait quelque chose de nouveau pour moi, et d'assez tragique, dans ce droit lui-même. Il ne s'agissait pas de régler une succession, d'établir un contrat, de juger dix ans après les faits de la légalité d'un arrêté municipal, de scruter un permis de construire. Le vent de l'histoire passait entre les articles. Je regardais, j'écoutais attentivement Georges Dreyfus. Je crois à présent qu'il était hanté par l'indifférence, qui lui paraissait la seule faute. Il lui semblait, je crois, que l'indifférence, et non le mal, avait brisé ces destins dont les dernières lignes aboutissaient devant notre cour. Au bout du chemin de ces femmes, de ces hommes abandonnés, il y avait Georges Dreyfus, qui faisait un immense effort d'attention, comme pour racheter une faute qui n'était pas la sienne. Je me disais que son passé, ou celui de sa famille, dont je ne savais rien, l'y incitait. Cela ne l'empêchait pas de faire usage avec maestria, une fois son opinion formée, de la langue, du style du droit, de ces instruments calculés pour mettre le plus de distance possible entre le juge et le tragique de l'existence, et grâce auxquels la description d'une catastrophe ferroviaire au Bengale paraît évoquer la rencontre de deux trains miniatures sous les combles d'un pavillon de banlieue.

Je ne l'ai pas revu. J'ai su qu'après sa retraite il s'était installé sur les hauteurs de Nice, avec sa femme de charge. Celle-ci, je l'avais rencontrée chez lui un après-midi, à Sèvres où j'allais lui porter des dossiers. Il habitait seul une belle villa Art déco, où le soleil frappait une collection de tanagras. Deux grands tableaux aux murs, dont une copie de Caillebotte, et c'était tout. La femme en question était déjà une grosse dame aux joues couperosées, au regard vif. Ils s'étaient connus à Strasbourg en 1944. Chaque premier jour du mois, elle se saoulait au rhum, changeait de place les tableaux et les tanagras et commentait avec une grande sévérité la carrière de son maître, après quoi la vie reprenait son cours.

*

Au début de 1982, nous avons jugé les hiérarques iraniens chassés par la révolution islamique. L'Ofpra avait accordé le statut à la plupart, sauf aux anciens membres de la Savak, la police politique du shah. Georges Dreyfus s'est attribué ces dossiers, et j'ai fait mon rapport. Je me souviens que le Quai d'Orsay avait effectué de délicates pressions pour que nous traitions avec générosité les quelques généraux qui avaient commandé cette officine, qui tous étaient de grands francophiles, décorés par la patrie des droits de l'homme. En revanche, nous étions invités à nous montrer particulièrement sévères à l'égard des exécutants qui avaient fait tourner les gégènes dans les caves de la prison d'Evin. Dreyfus ne l'entendait pas de cette oreille. Il est venu au délibéré avec le recueil des décisions du conseil d'État pour 1946 ou 1947. Sur la page de gauche, le cas du général de gendarmerie X qui avait commandé Drancy : absolution. Sur celle de droite, celle du gendarme Y qui avait accompagné les convois : condamnation. Et les anciens de la Savak se sont vu appliquer, sans distinction de grade, la clause de la convention de Genève qui prévoit qu'on ne peut pas se réclamer de droits que l'on a violés lorsqu'on avait le pouvoir.

*

Je suis retourné pour quelques mois à ma vie ordinaire, des dossiers de Tamouls du Sri Lanka, de Zaïrois, de Tchadiens. Puis, un soir, Georges Dreyfus m'a retenu à l'issue d'un délibéré qui avait été fort long. Nous sommes descendus ensemble boire une bière dans un café au pied de Saint-Merri. C'était au début du printemps. Dreyfus semblait chercher ses phrases, ce qui ne lui était pas habituel. Il m'a parlé assez longuement du quartier, de la maison de Nicolas Flamel, de la passion d'André Breton pour la tour Saint-Jacques. C'était la première fois qu'il évoquait la littérature, et surtout le surréalisme, pour lequel j'ai toujours eu un goût très vif. Puis, sans transition, il m'a demandé si je connaissais le Pays basque. Je ne le connaissais pas, ni le français, ni l'espagnol. J'avais une vague idée du mouvement indépendantiste, de sa lutte contre le franquisme. Je me souvenais, comme tout le monde, de l'assassinat à Madrid du dauphin désigné de Franco, l'amiral Carrero Blanco, dont la voiture avait été soufflée jusqu'au-dessus des maisons par une charge d'explosifs trop forte. J'avais lu dans les journaux que Giscard avait décidé de retirer le statut de réfugié aux Basques espagnols vivant en France au motif que, l'Espagne étant devenue une démocratie, il n'y avait aucune raison de maintenir aux Basques la protection qui leur avait été accordée autrefois.

« Précisément, dit Georges Dreyfus. La plupart de ces Basques se sont pourvus devant nous. Une vingtaine de recours basques sont arrivés à la commission, et nous allons les traiter. »

Je lui dis que je ne voyais pas bien où se trouvait la difficulté que son ton hésitant me laissait deviner. Pouvions-nous seulement faire à l'Espagne la mauvaise manière de tenir pour nul et non avenu son retour au droit ?

Il éluda. « Lisez les recours et reparlons-en. »

À la vérité, nous n'en avons jamais reparlé, contrairement à notre habitude, avant la date de l'audience.

À l'époque, la jurisprudence n'admettait pas que l'on pût obtenir le statut de réfugié autrement qu'en étant directement persécuté par un État. Elle ne permettait pas de considérer les menaces d'une organisation occulte bénéficiant du soutien caché de l'État, ou même de tenir compte du fait que les autorités judiciaires d'un État pussent se révéler impuissantes à protéger un citoyen contre de telles menaces. Les règles de droit étaient claires. J'en discernai immédiatement toute la rigueur, même si je jugeais impossible de nous en affranchir. J'imaginai que Georges Dreyfus s'y montrerait sensible, lui si attaché aux droits de la personne, et si attentif toujours à l'apparition au milieu de nous de ce fantôme de l'indifférence qu'il s'efforçait de conjurer.

Mais ce jour-là, il n'ajouta pas un mot sur cette difficulté, comme disent les juristes, sur laquelle nous ne pouvions encore mettre de visage. Nous restâmes un long moment à fumer et à boire dans ce café. Dreyfus me décrivit le Pays basque. Il le connaissait bien. Nous nous séparâmes très tard, et comme à regret. Le lendemain, je passai à la commission chercher les dossiers des Basques et je les rapportai chez moi. Je ne les ouvris pas tout de suite. Il me fallait terminer un long rapport sur la responsabilité des constructeurs du Centre Pompidou, qui s'en allait par plaques. Puis, avant de lire les dossiers individuels, je voulais me documenter. Je procédais toujours ainsi, lisant avant de dépouiller les mémoires ces rapports internationaux qui ressemblaient pour moi à des Guides Bleus sur des pays où je n'irais jamais, mais disposant, plutôt qu'aux rêves du voyageur immobile, à une torpeur accablée. Lire ces rapports était toujours une épreuve. C'est que j'y devinais des vies sans pouvoir vraiment les comprendre, craignant toujours d'imaginer trop ou pas assez, souffrant pour finir de devoir les faire entrer par force dans les catégories du droit. Mais c'était mon métier, et je l'aimais malgré tout.

*

* *

Pendant la remise en état d'une partie de nos vétustes locaux, le service de documentation de la commission avait été transporté boulevard Diderot, dans un immeuble de l'administration des finances. Je m'y suis rendu fin mai, après avoir donné à l'Institut d'études politiques un cours où mes élèves s'étaient gravement demandé si les droits de l'homme avaient, ou bien devaient se voir attribuer une valeur universelle. C'était l'esprit de ces années-là. Il y avait de l'électricité dans l'air, comme je l'ai dit — l'argent, les énergies individuelles, l'impatience de toutes les règles anciennes, mais le monde ne s'était pas remis en mouvement. Cela viendrait plus tard, en Yougoslavie. Le mur de Berlin était toujours là. Les opinions d'alors, celles de mes jeunes collègues ou celles de mes élèves, étaient violentes et gratuites, comme c'est souvent le cas en France. Cette tournure d'esprit jetait ses derniers feux et nous n'en savions rien.

Quittant vers six heures notre centre de documentation provisoire, j'eus envie d'un verre de blanc limé avant de rentrer chez moi, où personne ne m'attendait, pour commencer à ouvrir les dossiers basques. Un café faisait le coin du boulevard et du quai, qui s'appelait le café de l'Institut, non à cause des académies, mais de la morgue toute proche. C'était un vieil établissement aux percolateurs d'avant-guerre où les clients et les serveurs se ressemblaient. Passant par là il y a quelques mois, j'ai vu qu'il avait disparu, remplacé par un magasin de nouilles chinoises.

Il y avait du monde au café. Assis, deux hommes aux physionomies innocentes et altières de juges d'instruction, et un vieux couple ravagé par le chagrin, qui avait dû venir reconnaître un corps.

Le spectacle était au bar, où un vieil homme en blouse blanche, maigre et sarcastique, pérorait au milieu d'un cercle d'étudiants en médecine. D'après ce que je compris, les apprentis chirurgiens venaient là-bas s'exercer sur des cadavres inconnus que personne ne réclamerait. Le vieillard leur apportait la matière première. Ce jour-là ils s'étaient exercés à amputer un clochard tout frais repêché du fleuve, où un grand filet tendu en amont de la morgue arrêtait les corps dérivants. Deux novices s'étaient évanouis. Le vieil homme les moquait, daubait sur cette génération, racontait ses campagnes. Il était fier d'avoir, dans sa jeunesse au maquis, attaqué des convois allemands en lançant des grenades dans une chistera, parce qu'il était basque. Bien que sobre, il pérorait comme un homme saoul, et qui poursuit une chimère. Son public était à la fois admiratif et gêné.

Je me souviens de m'être rapproché pour l'écouter à cause de ce mot de basque, frappé par la coïncidence, et parce qu'il parlait de ses origines, ce que personne ne faisait à l'époque. Il ne passe pas de jour à présent sans que l'inconnu qu'on croise ne se déclare fièrement breton, kabyle, musulman ou melkite. De tels propos eussent alors passé pour naïfs, vaguement obscènes, et blâmables. Mes amis et moi méprisions les niaiseries de l'enracinement.

Une heure durant, il a parlé de Roncevaux et de sa bataille imaginaire, de Saint-Jean-Pied-de-Port et du *taloa*. Son public se clairsemait. Les juges et la famille étaient partis. Nous sommes restés quatre et nous nous sommes assis à une table. « Vous n'avez pas l'air d'un médecin, vous », m'a-t-il dit, soupçonneux. Je lui ai répondu que j'étais juge — c'était plus simple — et il a haussé les épaules. Il est passé des juges aux crimes, des crimes aux cadavres, des cadavres à la mort. Puis, parlant cette fois pour lui-même et d'une voix plus basse, il nous a raconté « le chemin des morts ». Chez les Basques, la maison est le centre de tout. L'homme et la femme y règnent ensemble, à parts égales. Ils ont la même dignité, et leurs deux noms sont gravés côte à côte sur le linteau de la porte. Quand un membre de la famille meurt, il est conduit de la maison au cimetière par un chemin particulier, que l'on appelle *le chemin des morts*. Chaque maison, chaque famille a le sien. Ils ne se confondent pas. Si bien qu'au-dessus des routes et des sentiers du village, ou au-dessous d'eux, ou à côté comme on voudra, il y a d'autres chemins, invisibles, formant une toile dont l'église est le centre.

J'ai découvert plus tard les églises du Pays basque. J'en ai aimé le calme, le silence profond, et ce parfum de poussière, d'encens et de cire froide. Elles ressemblent à des bateaux renversés, avec leurs galeries de bois montant haut sur les murs blancs. Il m'a semblé m'y entendre poser doucement, sans en ressentir aucune inquiétude, une question à laquelle je ne savais répondre.

Le vieillard s'est levé d'un coup pour regagner son antre mortuaire, les étudiants ont disparu et je suis resté seul à rêvasser. Je suis rentré à pied, mais par cercles concentriques, marchant des heures durant dans le Paris de Breton et de Flamel, près de la tour Saint-Jacques. J'aurais voulu suspendre le temps. J'ai dû passer dix fois sous les fenêtres de la commission des recours. Rentré chez moi à l'aube, j'ai relu *Nadja*, puis je me suis endormi pour me réveiller à midi. Je suis allé revoir le costume de Musidora à la cinémathèque, j'ai été écouter dans une suite de chambres de bonne du boulevard de Sébastopol un violoniste roumain à peine échappé du royaume de Ceauşescu et qui avait du génie. Les dossiers des Basques attendaient sur ma table. Je ne pouvais me résoudre à les ouvrir.

*

J'ai fini par les reprendre trois jours avant la séance. J'ai travaillé deux jours et deux nuits sans interruption, jusqu'à la veille de l'audience.

Nous étions en mai. C'était la croisée des saisons : le dernier vent d'hiver agitait sur la place les feuillages lourds des marronniers d'où s'exhalaient déjà les parfums d'essence et de goudron qui sont ceux du printemps parisien, et qui m'ont durement manqué plus tard.

Chaque dossier me prit quatre ou cinq heures, pas davantage, et avant d'en prendre un autre j'allais fumer devant la fenêtre ouverte en écoutant le murmure de l'eau dans les bassins.

L'un de mes amis me rejoignit à l'aube et nous sortîmes pour déjeuner aux Halles. Nous avions étudié le droit ensemble. Comme il était d'une intelligence où n'entrait aucune rhétorique, il avait échoué à la plupart des concours administratifs. Il ne lui restait plus à passer que celui de la Banque de France et celui de commissaire de police. Il écartait le premier, qui lui semblait mortifère, et considérait le second. Ce choix me paraissait à la fois aventureux et répugnant.

Mon ami s'appelait Grigorenko. Son père avait dû quitter l'Ukraine avant la guerre, parce qu'il avait pris la défense des Juifs pourchassés par les Cosaques de Petlioura, alors qu'il n'était encore qu'un très jeune homme. Sa famille lui avait évité un mauvais sort en l'envoyant faire ses études en France. Il y était devenu photographe, à Limoges, et s'était marié très tard avec une jeune fille rencontrée dans les maquis FTP de Guingouin, où son nom l'avait rendu populaire. Il n'était jamais retourné en Ukraine.

Grigorenko avait le goût du romanesque et l'esprit du détail. Peut-être pour se préparer au métier de policier — et plus sûrement pour se laisser baigner par son obscure poésie, avant d'avoir à en subir le poids —, il lisait sans relâche Simenon, les *Histoires de la nuit parisienne* de Chevalier, les comptes rendus des procès d'assises, de Géo London à Théolleyre, et les faits divers dans tous les journaux. Il notait en littéraire, de un à vingt, à la fois les crimes et la prose des échotiers qui en rendaient compte. Son œil brillait devant cette humanité noire, et sa voix s'exaltait parfois, dans les accents d'une indulgence amusée et précise : « Tout de même, quelle déconcertante canaille ! Et ce commissaire, moustachu jusque dans la tête ! Ah, la symphonie des chaussures à clous ! » Ses connaissances étaient étendues et bizarres.

Je lui parlai de mes dossiers basques. Il me raconta qu'on avait trouvé, ces derniers mois, plusieurs cadavres de jeunes gens dans le petit Bayonne, assassinés sans doute par les agents des anciens réseaux de la police franquiste parce qu'ils renseignaient la DST. Je ne prêtai à ses propos qu'une oreille distraite. Si intelligent fût-il, il avait toujours trop aimé les complots et leurs explications mystérieuses. Puis il voulut m'interroger sur chacun de mes requérants basques, sur leurs histoires particulières. Il se méfiait des idées générales. Comme je lui répondis en faisant du droit, il me regarda avec tristesse, et nous nous séparâmes avec un peu de gêne. Rentré chez moi, je mis sans fièvre la dernière main à mes rapports.

*

La plupart des dossiers « tombaient d'eux-mêmes », comme nous disions. Plusieurs requérants avaient déjà quitté la France pour l'Amérique latine et n'avaient formé que pour ordre un recours dont ils se désintéressaient à présent. D'autres étaient devenus français à l'insu de l'administration de l'asile, si bien qu'il n'y avait pas lieu de statuer sur des demandes qu'ils avaient faites un peu au hasard, ou pour le principe. Il n'en restait qu'une poignée. La plupart étaient des militants de base, qui ne s'étaient jamais vraiment signalés, et dont on pouvait penser que si leur recours était rejeté, ils continueraient de vivre en France, en clandestins, sans que l'administration ne songe à les expulser, jusqu'au jour où ils obtiendraient des papiers dans une autre préfecture, profitant de la distraction des services et du désordre des archives.

Tout autre était Ibarrategui. Il était né à Zestoa, dans le Guipúzcoa, en 1940. Après des études supérieures, en lettres, il était revenu dans son pays en qualité d'instituteur, alors qu'il aurait pu prétendre à davantage. C'était un militant de la cause basque, mais plus encore de l'anti-franquisme. C'est sans doute à cause de cela que son souvenir est, toujours aujourd'hui, aussi vivant là-bas, où les gens sont lassés de ce terrorisme sans issue, de ces groupuscules qui se font et se défont sans cesse et touchent au banditisme. Ibarrategui avait été une sorte d'autorité morale, un homme réservé et droit, inspirant une grande confiance. Il avait quand même adhéré à l'ETA et occupé un rang important dans l'organisation clandestine. Tout cela aurait dû l'empêcher de verser dans l'action directe. Pourtant, en 1968, il avait fait partie du commando qui a assassiné le commissaire Melitón Manzanas. Le commissaire était un tortionnaire notoire. Il y avait là-dessus plusieurs hypothèses. Celle qui revenait le plus souvent était que ce policier aurait fait mourir sous la torture une jeune militante à laquelle Ibarrategui tenait particulièrement.

Activement recherché, il était parti en 1969 pour la France, où il avait obtenu le statut de réfugié. Là, il avait vécu pendant dix ans de façon modeste, s'abstenant de toute activité militante, comme si quelque chose en lui s'était brisé. Il avait travaillé dans un garage à Quimper, puis, les dernières années, dans une librairie à Paris. Au moment de l'assassinat de l'amiral Carrero Blanco, en 1973, il avait écrit un petit texte pour désapprouver l'attentat, texte qui avait été publié dans plusieurs feuilles clandestines et qui lui avait été reproché, par ses anciens camarades comme par certaines voix autorisées de l'extrême gauche française. Sans plus : il était presque oublié, après tout ce temps passé en silence.

*

Je suis arrivé rue de la Verrerie une heure avant le début de l'audience. Il faisait beau et j'entendais avec plaisir les bruits médiévaux de ces rues étroites monter vers moi par les fenêtres ouvertes. J'ai relu rapidement les rapports que j'allais tout à l'heure prononcer en séance.

Je me suis demandé depuis, presque chaque jour, si j'aurais pu rédiger autre chose que ce que j'avais écrit. L'Espagne était devenue démocratique et nous n'avions plus de raisons de garder sur notre sol les réfugiés espagnols, basques ou non. J'avais trouvé dans les dossiers plusieurs documents administratifs, et deux notes des renseignements généraux en particulier, qui prétendaient montrer que des groupuscules parallèles étaient toujours actifs. Elles m'avaient paru reposer plutôt sur des impressions que sur des faits, au mieux sur des indices qui ne pouvaient fonder aucune certitude. Rédigées dans un style plat et vague, elles n'offraient aucun terrain solide au raisonnement de droit. Lorsque la convention de Genève évoque des persécutions, il faut, pour que la victime puisse obtenir le statut de réfugié, que l'État en soit directement responsable. C'était du moins le principe, à l'époque, principe répété affaire après affaire par le conseil d'État, juridiction suprême. Rien ne permettait alors de prouver que l'État espagnol armait en secret ces groupuscules dont parlaient les notes administratives, ou leur assurait l'impunité. Et l'écrire sans preuves dans une décision de justice me semblait impossible.

Lorsqu'un juge adopte une solution, c'est bien souvent que la décision inverse lui paraît impossible à rédiger, pas davantage. Pour sauver Ibarrategui — et par sauver, je n'entendais à ce moment-là que sauver son dossier, n'imaginant rien d'autre — j'aurais donc dû soutenir, sans preuves et sur la base d'intuitions, que l'État espagnol n'avait, au moins s'agissant de ses activités de police, changé qu'en apparence ; que les réseaux franquistes contrôlaient toujours le ministère de l'Intérieur ; que le ministre lui-même… Ai-je eu peur des conséquences ? Pas même, et d'une certaine façon c'est bien le pire. Je ne risquais rien, et les autres membres de la commission non plus, rien sinon cette espèce de discrédit à la fois intellectuel et moral que les juges craignent par-dessus tout, parce qu'il peut compromettre leurs carrières.

La vérité est que je ne me suis pas attardé très longtemps. Je n'ai pas beaucoup hésité. Non que j'aie pensé que je n'étais qu'une seule voix parmi les juges ; je savais obscurément que Georges Dreyfus se rangerait aux conclusions de mon rapport, et les autres membres de la commission le suivaient toujours. Si je me suis demandé un instant pourquoi il ne m'avait pas fait venir, selon nos habitudes, pour revoir ensemble les cas difficiles avant la séance, je ne m'y suis pas attardé. Je croyais que notre décision n'aurait pas de conséquences si graves — Ibarrategui se perdrait dans la nature et ne reviendrait jamais chez lui, comme la plupart de ceux auxquels nous refusions l'asile — et, dès lors, rien ne m'empêchait plus de tenir, et de faire prévaloir, un raisonnement que je pensais rigoureux.

Georges Dreyfus est arrivé à l'heure, aussi vif et enjoué que d'habitude. Dans les cas difficiles, nous prenions une demi-heure avant l'audience pour réfléchir ensemble. Il ne pouvait pas ignorer ce que j'allais proposer. Qu'il n'ait pas souhaité m'en parler avant montrait qu'il était d'accord avec moi. La secrétaire de la section a disposé les dossiers. Elle s'appelait Meryem Shirazi, elle avait une quarantaine d'années et ne laissait rien au hasard. Ses dossiers étaient parfaitement tenus, et elle faisait toujours preuve de beaucoup de délicatesse à l'égard des demandeurs d'asile, même les moins commodes.

Les assesseurs ont pris leurs places, à droite et à gauche du président Dreyfus. L'assesseur désigné par le haut-commissariat des Nations unies pour les réfugiés était une grosse femme méchante et péremptoire, gâtée par ses vingt dernières années de carrière passées à intriguer dans les bureaux. Elle avait dû être belle et généreuse. L'assesseur désigné par l'administration était un ancien diplomate aux jugements pittoresques et imprévisibles, sauf en ce qui concernait l'Asie centrale où il avait servi, à propos de laquelle il avait des marottes. Les réfugiés de ces régions étaient heureusement peu nombreux.

Les assesseurs ne comptaient pour rien.

La salle était vide, sans aucun public à cette heure matinale. Javier Ibarrategui est entré seul. Il n'avait pas d'avocat, et s'est tenu debout devant la petite table en bois blanc au-dessous de l'estrade des juges, attendant d'être autorisé à s'asseoir.

«Je vous en prie», a dit Georges Dreyfus, attentif et courtois. Ibarrategui s'est assis, les mains à plat sur la table, sans montrer aucune émotion. C'était un homme d'une cinquantaine d'années, vêtu d'un vieux costume gris, tout râpé, mais qu'il portait avec l'élégance d'un homme qui ne se soucie pas de ces choses. Une couronne de cheveux frisés dégageait un front haut. Son regard frappait surtout. Des yeux d'un vert de lagune, exprimant une sévérité tranquille dont on devinait qu'il ne s'exemptait pas. Je crois que nous avons tous ressenti, dans son immobilité même, une vibration particulière. Il ne paraissait pourtant pas homme à jouer un rôle, à vouloir produire un effet, ou à plaider. Meryem Shirazi l'a considéré longuement, puis nos regards se sont croisés. C'était comme si elle avait voulu dire quelque chose que sa position lui interdisait d'exprimer.

Georges Dreyfus a brièvement expliqué le déroulement de l'audience. Ibarrategui a baissé la tête en signe d'assentiment. Lorsqu'il a répondu au président qu'il n'avait aucun besoin d'interprète, nous nous sommes aperçus que son français était le nôtre, sans aucune trace d'accent, et cela a ajouté encore au trouble diffus, inexprimable, que je crois nous ressentions tous.

Y ayant été invité par le président, selon l'usage, j'ai lu mon rapport, à la fin duquel j'ai proposé de rejeter la requête de Javier Ibarrategui. Il m'a regardé longuement, sans colère et même sans agacement.

À la demande du président, il s'est levé pour présenter ses observations. Il allait donc se défendre lui-même. C'était fréquent, en ce temps-là.

Il avait une voix basse et rauque de fumeur — ses doigts étaient d'ailleurs jaunis par le tabac —, avec des inflexions métalliques parfois. Il parlait lentement, avec dignité. Il a commencé par remercier, à travers nous, la France de l'avoir accueilli pendant les dix dernières années. Il a ajouté, avec une ironie imperceptible, qu'elle y avait eu du mérite, puisque l'administration aurait pu considérer que les actes violents auxquels il avait participé lui interdisaient de bénéficier de la convention de Genève.

Il s'est réjoui de la chute du franquisme. Puis il a eu un silence et, d'une voix plus sourde, il nous a dit que les polices parallèles étaient toujours actives, et qu'il serait très probablement exécuté s'il rentrait en Espagne. Il a ajouté que si nous rejetions sa demande, il y rentrerait cependant. Qu'il n'avait pas l'intention de vivre en France une vie clandestine, sans droit, toujours à errer, à se cacher de la police. Qu'il irait — je ne suis pas sûr qu'il ait employé ces mots-là — au-devant de son destin.

Quand il s'est tu, il y a eu un long silence. Son propos avait porté. Nous étions comme hésitants. Ce sont des moments où tout paraît se jouer.

Nous lui avons posé des questions. Georges Dreyfus lui a demandé de préciser ses craintes. Après tout, il s'était tenu éloigné, en France, de toute activité politique, et, le dossier en faisait foi, avait désapprouvé l'assassinat de l'amiral Carrero Blanco. Cela ne faisait pas de lui une cible de premier ordre. Il lui a simplement répondu qu'il s'agissait d'un très vieux combat, d'un combat à mort, où personne ne pouvait compter sur l'oubli ou sur le pardon. Que les ancêtres des « groupes antiterroristes de libération », les fameux GAL, s'appelaient « les guérilleros du Christ-roi »...

L'assesseur nommé par l'administration a cité les promesses d'amnistie du gouvernement espagnol. Il a haussé les épaules, sans répondre.

Le président lui a demandé s'il voulait conclure. En me regardant, il a dit qu'il ne souhaitait pas, s'il venait à être assassiné, que quiconque se sente responsable de sa mort. Je sais à présent qu'il était sincère. Mais, sur le moment, cette phrase nous a braqués contre lui. C'était comme une gifle que nous ne jugions pas mériter. Un chantage moral. Il a incliné la tête devant nous et est sorti sans se retourner.

Le délibéré a été court et technique, du moins au début. Pendant quelque temps, chacun a fait un effort pour en rester au droit. Nous n'avons pas parlé de nos impressions de l'audience. La dernière phrase d'Ibarrategui avait jeté un froid.

Le président, l'assesseur nommé par l'administration et moi étions pour le rejet. Alors la grosse dame du haut-commissariat pour les réfugiés a pris fait et cause pour Ibarrategui, de manière inattendue. D'ordinaire, elle proposait plutôt d'admettre les pauvres hères et de rejeter les bourgeois. Elle s'était renseignée, et étalait des papiers devant elle, dans le plus grand désordre. Les phrases mal faites se bousculaient dans sa bouche. Les GAL étaient puissants. Les hauts fonctionnaires du ministère de l'Intérieur espagnol n'avaient pas changé. Ils avaient même des complicités en France. On y avait assassiné des informateurs de la DST jusque dans le petit Bayonne et le travail des juges français s'était trouvé paralysé par des obstacles invisibles. Mon ami le futur commissaire m'avait dit la même chose. Elle était secouée par une indignation que nous ne lui avions jamais connue, dont on ne savait si elle se portait sur les polices, les milices, les franquistes ou nous autres serviteurs du droit, car il y entrait aussi du ressentiment à notre égard. Et pendant qu'elle parlait, je vis Meryem Shirazi l'encourager en hochant la tête.

Georges Dreyfus resta silencieux un moment, comme pour laisser toute cette émotion se dissiper. Puis, en quelques phrases brèves, il nous dit qu'il ne nous voyait pas, à nous quatre rue de la Verrerie par un beau matin de printemps, condamner le nouveau gouvernement démocratique espagnol. À cette ironie, qui ne lui était pas habituelle, j'eus l'impression fugitive qu'il ne s'était pas résolu si facilement à cette décision. Je fus tout près de lui demander s'il était sûr du choix que nous allions faire. J'étais rassuré qu'il eût pris la même position que moi, et frappé par cette hésitation que j'avais cru deviner. Cette hésitation-là était, dans sa cause, que je croyais connaître, ce qui me faisait aimer et respecter Georges Dreyfus. Mais il me demanda de lire l'arrêt que j'avais préparé, et je m'exécutai. Le président modifia une phrase, et nous signâmes tous. La lèvre inférieure de la dame du HCR tremblait pendant qu'elle apposait sa signature, et nous nous séparâmes après avoir jugé quelques autres cas. Je me souviens que ce jour-là nous avons accordé le statut de réfugié à un Zaïrois, dont nous devions découvrir ensuite qu'il s'était déjà présenté trois fois à la commission sous des identités différentes. Il avait un beau talent d'acteur et revendait ensuite — à un prix abordable — le précieux papier à ses compatriotes.

*

La session où nous avions entendu Ibarrategui fut pour moi la dernière. La décision de rejet fut affichée quinze jours après, selon l'usage, dans l'entrée de la commission, rue de la Verrerie. J'avais demandé deux mois de dispense pour rattraper le retard que j'avais accumulé à la section du contentieux, puis les vacances judiciaires devaient me conduire jusqu'à la mi-septembre.

Tout d'abord, enseveli dans mes dossiers, je ne ressentis rien. Après quelques semaines, je fus envahi, peu à peu, par un sentiment nouveau. C'était une gêne sourde, une sorte d'empêchement. Au début, je parvenais à en disposer en me promenant, en prenant un livre. Puis je dus faire davantage d'efforts. Au début de l'été, j'étais accablé par un pressentiment auquel, bizarrement, je n'associai qu'assez tard le souvenir de Javier Ibarrategui. Un après-midi au Palais-Royal, en sortant d'une séance d'instruction de ma sous-section, je cherchai Georges Dreyfus, mais il était absent, présidant une mission d'inspection de tribunaux administratifs en province.

Je ne tenais plus en place. L'air de Paris m'était devenu irrespirable. Un soir, je fis ma valise et m'en fus gare de l'Est, où je pris le train pour Istanbul. Je descendis à Belgrade, à Zagreb, reprenant le train suivant. J'aurais voulu voir Sarajevo, mais quand le train s'y arrêta, un matin à l'aube, la gare était morte, inondée de pluie, et je fus pris d'une angoisse comme je n'en avais jamais connu. Je m'arrêtai à Sofia, à Skoplje, d'où je pris un taxi pour aller dans la montagne jusqu'à Monastir. Je passai deux semaines à Istanbul à l'hôtel Klodfarer. La première semaine, je visitai la ville. La seconde, je ne pus rien faire que dormir, fumer, et lire les aventures de Robinson Crusoé. C'est un livre que j'emporte toujours avec moi.

En revenant à Paris, je descendis à pied, sans trop savoir pourquoi, de la gare de l'Est vers la gare de Lyon. Je n'avais pas lu de journaux français depuis longtemps et j'en achetai une brassée au kiosque, boulevard Diderot. Je m'assis pour les lire à la devanture du café de l'Institut. Nous étions le 5 septembre. J'ai pris d'abord *Libération*, y lisant le récit de la visite du Soviétique Gromyko, la description du retrait partiel des Israéliens du Liban, un article sur le cyclisme, un autre où Edmond Maire s'interrogeait sur l'avenir du syndicalisme. Ces nouvelles d'inégale importance sont restées également gravées dans ma mémoire. Je me sentais désœuvré et vacant. Je commandai une seconde bière, et, machinalement, en attendant qu'elle me soit servie, je repris le journal que j'avais lu. Un entrefilet dans les pages internationales m'avait échappé. Il était titré : Assassinat à Pampelune.

« Le militant basque Javier Ibarrategui a été assassiné hier à midi, sur la place San Nicolás à Pampelune, par deux tueurs à moto. Il a reçu quatre coups de revolver et est mort avant l'arrivée des secours. Figure de second plan mais très respectée du nationalisme basque, il avait cessé toute activité militante à compter de son exil en France, en 1969. Sa condamnation de l'exécution du dauphin désigné de Franco, l'amiral Carrero Blanco, en 1973, avait soulevé de violentes polémiques dans les milieux nationalistes. Javier Ibarrategui faisait partie de ces Basques auxquels l'administration française avait, sur ordre de Valéry Giscard d'Estaing, retiré le statut de réfugié, justifiant cette décision par le retour de l'Espagne à la démocratie. Dans les milieux informés, on attribue la responsabilité de cet assassinat, comme de nombreux autres semblables, aux groupes antiterroristes de libération. Ces groupes continueraient de bénéficier de soutiens puissants au sein du ministère de l'Intérieur espagnol. »

*

Je n'ai pas vraiment pris la décision de quitter la commission des recours. Les vacances judiciaires duraient alors jusqu'en septembre. À l'automne, j'ai envoyé ma lettre de démission sans trop y réfléchir. Je n'ai pas été voir Georges Dreyfus pour lui faire mes adieux. Il a pris sa retraite peu après. J'ai continué à travailler à la section du contentieux, mais, après un an, une grande lassitude me prit de tous ces raisonnements, de tant d'intelligence dépensée en vain, de la courtoisie de mes collègues et de la beauté des jardins du Palais-Royal. Ayant accompli quatre ans de service, j'étais libre de changer de voie. Je demandai à être détaché dans l'administration active. Je ne suis jamais revenu au conseil d'État.

Dix ans plus tard, à l'occasion d'un voyage professionnel, je suis allé dans le Pays basque. Ayant pris quelques jours de congé, je suis descendu vers Loyola et la vallée de Zestoa. C'est un paysage de courtes montagnes entre lesquelles roulent des eaux grises, où les routes sont semées d'usines désaffectées et d'établissements de bains déserts.

Javier Ibarrategui est enterré au cimetière de Zestoa. Sa tombe est régulièrement fleurie. J'ai vu la ferme qu'il avait habitée. Au-dessus de la porte, une main anonyme a gravé dans la pierre, en basque, une inscription qui rappelle son engagement.

Me rappelant ce que le vieux gardien de la morgue m'avait appris du *chemin des morts*, j'ai fait le parcours de la ferme à la tombe. Mais plusieurs chemins étaient possibles, et je ne saurai jamais si j'ai emprunté le bon.

*

*   *

Trente ans ont passé. J'ai mené ma vie d'homme. J'ai payé mon dû. Le souvenir d'Ibarrategui ne m'a jamais laissé en repos. Il n'est pas passé un jour sans que je le revoie, debout devant nous, rue de la Verrerie, sans que j'entende cette voix sèche qui parlait notre langue et qui nous condamnait. Plusieurs personnes que j'aimais sont mortes et leur apparence, malgré tous mes efforts, s'est effacée de ma mémoire. Javier Ibarrategui y est resté, comme pris dans des glaces éternelles. La faute a des pouvoirs que l'amour n'a pas.

Je ne sais pas comment s'achèvera ce long compagnonnage. Ibarrategui était là quand j'ai prêté le serment d'avocat, revenant au droit après un long détour, un peu perdu dans la première chambre de la cour d'appel de Paris. Mes confrères, à peine sortis des écoles, avaient l'âge que j'avais quand Ibarrategui s'était présenté devant la commission des recours. Il était là quand j'ai plaidé pour la première fois, puis à chaque procès gagné, à chaque procès perdu. À chaque fois que ma lâcheté ou le désir de plaire me poussaient aux accommodements de l'audience, et à reculer face aux juges, il était là, dans mon dos, pour me pousser à parler fort, sans rien céder, moi qui n'aime guère combattre. Il sera là quand je rangerai ma robe noire, ayant gagné mon silence après tant de paroles dites. J'espère qu'il me laissera mourir seul, mais que je le retrouverai de l'autre côté.

Bayonne, avril-mai 2012

Composition Ütibi.
Achevé d'imprimer
par l'Imprimerie Floch
à Mayenne, le 3 juin 2013.
Dépôt légal : juin 2013.
Numéro d'imprimeur : 84977.

ISBN 978-2-07-014219-4 / Imprimé en France.

254589